AHORA QUE ESTAMOS AQUÍ, SEÑOR HEATH, ¿LE IMPORTA CONTÁRNOSLO UNA VEZ MÁS?

DESDE LUEGO... HA SIDO TERRIBLE, SABE USTED...

SÍ, YA.

ANOCHE, A ESO DE LAS DOCE, ESTABA YO AQUÍ ABAJO LEYENDO UN LIBRO...

"PASÓ JUNTO A MÍ SIN DECIR PALABRA Y SE PUSO A DAR MARTILLAZOS A LA PARED DEL FONDO..."

"POCO DESPUÉS VOLVIÓ A PASAR POR DELANTE MÍO. LLEVABA CONSIGO UNA CAJA DE METAL Y UNA ESPECIE DE TENAZAS. ERA LA PRIMERA VEZ QUE VEÍA AQUELLAS DOS COSAS..."

"AL IRSE, DEJÓ EL CANDELA-BRO SOBRE LA MESA..."

"PERMANECÍ ALLÍ INMOVILIZADO HASTA LAS ONCE Y MEDIA DEL DÍA SIGUIENTE."

EN CUANTO PUDE MOVERME, BAJA-RON LOS CRIADOS, DICIÉNDOME QUE HABÍAN PASADO LA NOCHE Y LA MAÑANA PARALIZADOS EN SUS CAMAS. FUE UNA EXPERIENCIA DE LO MÁS HORRIBLE.
¿LO ENTIENDE USTED?
¿ABE?

ES UNA MANO DE VERDAD.

¿UNA MANO DE VERDAD?
GUK
AGH
ES HORRIBLE.
LO LLAMAN "LA MANO DE LA GLORIA". ES LA MANO DE UN AHORCADO, SECADA, BAÑA-DA EN CERA Y CONVERTIDA EN CANDELABRO. SI SE USA ADECUA-DAMENTE, PUEDE ABRIR PUER-TAS E INMOVILIZAR A TO-DOS LOS MORADORES DE UNA CASA...
CREO QUE EL BAJITO SABÍA LO QUE SE HACÍA.

Y POR TANTO, ES RAZONABLE PENSAR QUE SABÍA LO QUE ESTABA BUSCANDO.
DEBIÓ COSTARLE LO SUYO ROMPER LA PARED.

HMMM...
¿HABÍA UNA PINTURA EN LA PARED?
SÍ, UNA PINTURA QUE LLEVABA AHÍ DESDE SIEMPRE.

ES UNA CASA MUY VIEJA, QUE ANTAÑO FUE CONVENTO...
ERA LA PINTURA DE UN SANTO... ¿DUNCAN?... ¿DUNSAL?...

¿DUNSTAN?
ESO ES.

UNAS TENAZAS.

SÍ, Y UNA CAJA...

¿Y ESO TIENE SENTIDO?
ESPERO QUE NO.
Y YO.
¿RECUERDA ALGO MÁS? ¿DIJO ALGO EL DE LA CABEZA REDONDA?

NO, NO SOLTÓ PRENDA. PERO NOTÉ ALGO...
NO SOY DE LOS QUE CREEN EN PODERES PSÍQUICOS, NO CREO EN ESAS COSAS. PERO CUANDO VI QUE AQUEL HOMBRE SE IBA, EXPERIMENTÉ UNA FUERTE IMPRESIÓN...

"EN REALIDAD, TUVE UNA VISIÓN... VI UNA CASA..."
"¿PODRÍA DESCRIBÍRNOSLA?"
"¿CONOCE USTED "LA CAÍDA DE LA CASA USHER", DE EDGARD A. POE?"
...ESTABAN LA MANSIÓN Y LOS ALREDEDORES ENVUELTOS EN UNA ATMÓSFERA QUE NADA TIENE QUE VER CON EL AIRE CELESTIAL, SINO QUE ERA UN HEDOR QUE PROVENÍA DE LOS ÁRBOLES PÚTRIDOS, DE LOS MUROS GRISES Y DE LA INACTIVA LAGUNA...
"SÍ, ASÍ ERA."

SEGÚN LA LEYENDA, DUNSTAN TRABAJÓ EN UNA HERRERÍA DE MAYFIELD...
LOCKMABEN, ESCOCIA.

...Y EL DIABLO, DISFRAZADO DE MUJER, SE LE APARECIÓ ENTONCES Y QUISO TENTARLE. PERO CON DUNSTAN NO LE VALIÓ, PUES ÉSTE, CON UNAS TENAZAS AL ROJO VIVO, ATENAZÓ LA NARIZ DEL DEMONIO, QUE ESCAPÓ LANZANDO ALARIDOS.
BUENO, ESO ÚLTIMO ES MENTIRA. SE SABE LA VERDAD POR UNA CARTA QUE EL PAPA GREGORIO VIII ENVIÓ AL OBISPO DE MILÁN EN EL AÑO 1082...

"...EN LA QUE SE CUENTA QUE DUNSTAN COLOCÓ LA CABEZA DEL DIABLO SOBRE UN YUNQUE Y LA GOLPEÓ CON UN MARTILLO, Y LUEGO METIÓ AL DEMONIO EN UNA CAJA QUE CERRÓ CON UN SELLO SAGRADO, Y QUE OCULTÓ SEGUIDAMENTE."

Y AQUÍ TENEMOS LA CAJA.
NO ES MUY GRANDE.
MI MARIDO Y YO LE FELICITAMOS, SEÑOR BROMHEAD.
SABEMOS MUY BIEN QUE LE DEBEMOS UN ÚLTIMO PAGO.
PERO EL CASO ES QUE NO TENEMOS MÁS DINERO.

¿ACEPTARÁ USTED LA ESCRITURA DE ESTA CASA Y SUS VALIOSAS PERTENENCIAS?
GUSTOSAMENTE, CONDESA.
A PARTIR DE HOY, MI MARIDO Y YO PERTENECEMOS A SATÁN.
ESTOY SEGURO DE QUE ÉL SABRÁ CUIDAR DE USTEDES.

¿QUÉ HAY DE LA LLAVE?

ES UN ARTÍCULO INDEPENDIENTE DE LA CAJA. ME HA COSTADO MUCHO CONSEGUIRLA...
PERO SE LA REGALO.

SEÑOR SATÁN, HE AQUÍ TU LIBERTAD. YO, TU HUMILDE SIRVIENTA, TE PIDO SÓLO UNA COSA... UN PEQUEÑO FAVOR.

APARECE EN UNA FORMA NO DEMASIADO HORRIBLE.
TE LO RUEGO.

CLICK

¿USTED NO PIDE NADA, CONDE?
SUFICIENTE ORO PARA PODER REVOLCARME EN ÉL Y UNA CORONA DE ESE MISMO METAL.
NO ESTÁ MAL COMO DESEO.

SQUEEEEEE

!
BANG!
¡BELLONA!

UH, QUÉ HEDOR... ¿QUÉ...?
VACÍA...

¡VACÍA!

BZZZZZ

NO DEL TODO, CRÉAME.

¡BROMHEAD! ¡NOS HAS ENGAÑADO, ASQUEROSO MISE...!
BZZZZZZZZZZ

¡GLUP!
ZZZZZ--

¡BELLONA! ¿ESTÁS...?
TÚ...

TÚ ERES UN SIMIO.

Y TÚ...
¿UN LAGARTO O UN CERDO?

SEÑORA, DIFÍCIL ELECCIÓN.
LO DEJO A SU GUSTO.
SÉ DE UNA MUJER QUE SE TRAGÓ UNA MOSCA, PERO NO SÉ POR QUÉ...
¿SE HA DECIDIDO YA?

GRRRR ARRARARR

AH, YA, ME HA TOMADO POR UNO DE ESOS ESTÚPIDOS...

ESTOY PROTEGIDO CONTRA LOS DE SU CALAÑA.
GERRAORRRAA
¡APARTA ESO!
ARMADO DEL PODER DE SU MAJESTAD SUPREMA, YO TE ORDENO Y MANDO, OH, ESPÍRITU, POR EL QUE DIJO UNA PALABRA Y CON ELLA LO DIJO TODO.

POR LOS NOMBRES DE ADOÑAI, EL, ELOHIM, EHYEH ASHER EHYEH Y ZOBAOTH.

POR DUNSTAN, EL SANTO, TU CARCELERO, CUYA IMAGEN ME PROTEGE.

Y POR TU MISMÍSIMO NOMBRE SECRETO, UALAC, DEMONIO MENOR DEL INFIERNO, PUES SABIÉNDOLO TENGO PODER SOBRE TI.
¿CÓMO HAS SABIDO MI NOMBRE?

DUNSTAN LO GRABÓ EN LA PARTE INTERNA DE LA CAJA.
SÉ QUE LOS DEMONIOS SOIS MENTIROSOS, ASÍ QUE DEBIÓ SONSACARTE LA VERDAD. EN SU NOMBRE, YO TE ORDENO.

Y POR ESTE NOMBRE, TETRAGRAMMATON JEHOVÁ, TE ORDENO Y MANDO, PUES AL OÍRLO SE DESENCADENAN LOS ELEMENTOS, LAMÉNTASE EL AIRE, EL MAR SE RETIRA...
Y POR SUS SANTAS TENAZAS.
¡BASTA! ¡BASTA!

MÁNDAME, AMO.

DAME RIQUEZA Y PODER. SÉ QUE NO SOY MUY ORIGINAL, PERO EN ESTE MUNDO...

RIQUEZA YA LA TIENES.
EN ESTA CASA QUE ES TUYA, HAY UN TESORO OCULTO HACE MUCHO EN UNA PARED DEL SÓTANO...

CONTIENE BASTANTES RIQUEZAS COMO PARA ADQUIRIR PODER EN LA TIERRA, SI TAL ES TU DESEO.
PERO PUEDO PROPORCIONARTE UN PODER AÚN MÁS GRANDE.
TE ESCUCHO.

LA GRAN BESTIA, PORTADORA DEL APOCALIPSIS, ESTÁ VIVA EN EL MUNDO.
HA RENEGADO DE SU DESTINO, PERO NO DE SU CORONA, QUE ES INVISIBLE PARA ÉL Y PARA TODOS LOS HOMBRES, PERO LA SIGUE LLEVANDO...

"...Y TIENE EL PODER DE DESATAR Y CONTROLAR LOS MÁS GRANDES PODERES DESTRUCTIVOS DE LA NATURALEZA. HASTA LOS REGENTES DEL INFIERNO SE INCLINAN ANTE SEMEJANTE FUERZA..."

INCLUSO EN MI PRISIÓN OÍ SUSURRAR SU NOMBRE...

ANUNG UN RAMA.

SU NOMBRE SECRETO...
¿PUEDES INVOCARLO?
AMO...

"... ÉL YA ESTÁ AQUÍ."
¿CÓMO SABES QUE ÉSTE ES EL LUGAR?
POR LO DEL PARECIDO CON LA CASA USHER. ESTUVE AQUÍ EN 1969 CON BRUTTENHOLM, Y ASÍ ES EXACTAMENTE COMO DESCRIBIÓ EL PARAJE.
¿EN EL SESENTA Y NUEVE? AH, SÍ, UN ASUNTO MUY FEO, CON MUCHA BRUJERÍA DE POR MEDIO...
AJÁ.

EL CONDE GUARINO COMPRÓ LA MANSIÓN AL AÑO O DOS DE AQUELLO.
SUPONGO QUE LE SALIÓ BARATA.

LO DUDO. GUARINO ES UNO DE ÉSOS A LOS QUE DAN GATO POR LIEBRE...

POR ESO SE COMPRENDE QUE SE HAYA UNIDO A IGOR BROMHEAD...
EL BAJITO DE LA CABEZA REDONDA... CREÍ QUE SEGUÍA EN LA CÁRCEL.
Y YO, PERO DEBE DE HABERSE FUGADO.

¿NO TE SORPRENDE LA MANERA EN QUE EL SEÑOR HEATH VIO ESTO EN UNA ESPECIE DE VISIÓN PSÍQUICA REPENTINA?

LA VERDAD ES QUE NO ME CONVENCIÓ DEL TODO...

UN TANTO REBUSCADA.

BOOM

¿CREES QUE LLAMAR A LA PUERTA PRINCIPAL ES LO MÁS INTELIGENTE?
¿Y QUÉ SI NO? ESPEREMOS QUE ESOS IDIOTAS NO HAYAN ABIERTO LA CAJA.

CREEEEEEE
QUÉ OSCURO...

¿CONDE GUARINO? ¿HAY ALGUIEN EN CASA?
NO PARECE QUE HAYA NADIE...

SUBAMOS AL PISO DE ARRIBA.

PUES LA ABRIERON.
IDIOTAS.
HEY...

¿QUÉ HAY EN ESE RINCÓN?

¿NO ES UN MONO?

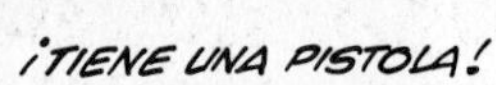
¡TIENE UNA PISTOLA!

BLAM BLAM

BLAM
¡ABE!

ASQUEROSO HIJO DE...
WUA
¡WAAAA!
...

ANUNG UN RAMA...
TE MALDIGO Y TE MANIATO CON CADENAS DE HIELO Y LENGUAS DE FUEGO...
¡AH!

TE ORDENO POR TU MISMÍSIMO NOMBRE SECRETO, PUES POR MEDIO DE ESE NOMBRE EJERZO PODER SOBRE TI.
¡AHORA!
¡UH!
UH...

HA SIDO MUY FÁCIL.
BROMHEAD...
¿ME RECUERDAS? ¿AL CABO DE TANTOS AÑOS? QUÉ EMOCIÓN, ESTOY A PUNTO DE LLORAR...
¡ACABA CON ÉL, AMO!

YO TE ORDENO Y MANDO, POR BELAM, BELFEGOR Y MOLECH, POR LOS PRÍNCIPES Y MINISTROS MÁS PODEROSOS DE LAS ÓRDENES INFERNALES, POR ASTAR...
¡NO! ¡NO!
NO NOMBRES A ÉSE, QUE SUS FAVORES SALEN MUY CAROS.

ENTONCES TE MANDO POR MI PROPIO NOMBRE, IGOR WELDON BROMHEAD...
¡UHHH!
Y POR UALAC, TU PROPIO PRIMO, QUE TE TRAICIONÓ.

¡AMO, DI AHORA LAS PALABRAS QUE TE REVELÉ!

ANUNG UN RAMA SUGGOTH ABAL.
¡OBDITH YUG JAHOOR!
¡SÍ!
ERR...
...
¡ANNA MEM SUGGOR ATHRAM UN RAMA!

"...Y VI A LA BESTIA HUMILLADA, RENDIDA Y ENCADENADA, Y SOBRE SU CABEZA HUMEANTE..."
"...LA CORONA DEL APOCALIPSIS."

TUYA ES, UALAC, PERO TEN PRESENTE QUIÉN ES SIERVO Y QUIÉN AMO.
SIEMPRE, AMO...

SIEMPRE...
¿Y QUÉ HACEMOS CON HELLBOY?
AHORA YA NO ES NADA. HAZ CON ÉL LO QUE TE PLAZCA.
ENTONCES SERÁ UN PLACER MATARLO A PALOS.
WOK
WOK
WOK
RAAAA-
WOK

WOK

UH...

CLINK
CLINK
?
¿QUÉ HAGO YO A...?

AH, YA RECUERDO.

MONITO BUENO...
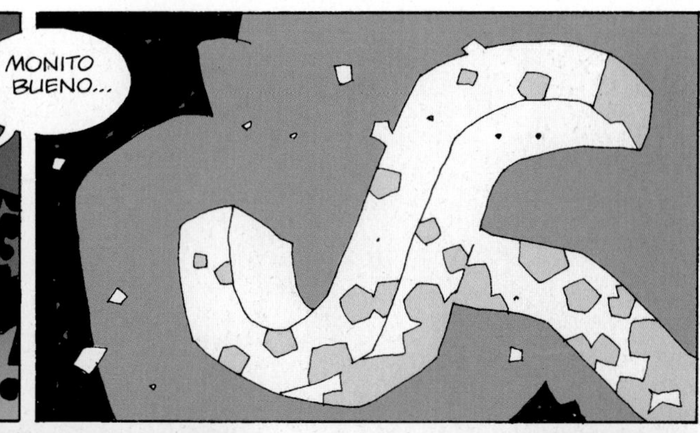

¡WAAA!
¡WAAA!
¡UH!
SSSSSS--

...
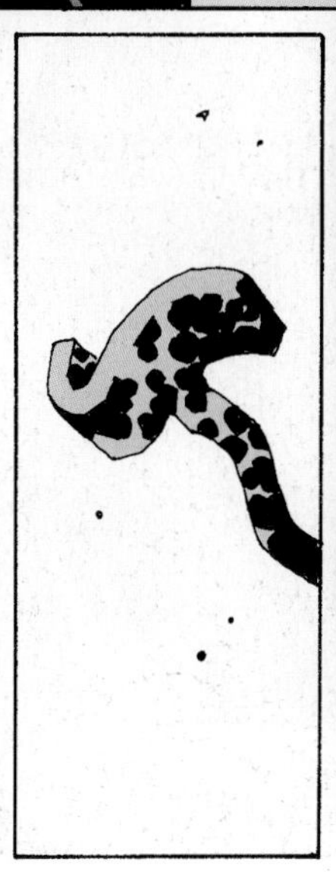

SSSSS--

WOK
WOK
WOK
BASTA.
NO, TODAVÍA NO BASTA.
DIJISTE QUE PODÍA HACER CON ÉL LO QUE QUISIERA.
LO QUE DIJE ANTES NO LO DIGO AHORA.
NO HE ACABADO CON ÉL.
SI SIGUES, LE MATARÁS.

QUIERO QUE MUERA.
DURANTE UN TIEMPO HICE ALGO QUE ME GUSTABA, HASTA QUE VINO ÉL A METER LA NARIZ DONDE NO DEBÍA. LUEGO PASÉ QUINCE AÑOS EN LA CÁRCEL. NO PUEDES IMAGINARTE LO QUE ES ESO...

YO ESTUVE EN LA CAJA DE HIERRO DURANTE MIL AÑOS. NO ME HABLES DE CÁRCELES.
ESTABAS SOLO, AL MENOS.
HELLBOY MORIRÁ...

PERO HAY QUE ARRANCARLE LA MANO DERECHA MIENTRAS VIVA, PORQUE MUERTO SU SANGRE PUEDE ENVENENAR-NOS.

¿QUÉ TIENE ESA MANO?
ES ALGO GRANDE Y ANTIGUO...

...SIGNIFICA EL ACCESO AL PODER QUE TANTO DESEAS...

"EL PODER DE DESATAR Y CONTROLAR AL DRAGÓN, OGDRU JAHAD..."
"... DE INSUFLAR VIDA A LOS SOLDADOS MUERTOS DEL INFIERNO..."
...Y ENVIAR ÉSE EJÉRCITO EN GUERRA CONTRA EL CIELO.
¿EL CIELO?
¿EXISTE EL CIELO?
IGOR BROMHEAD, TÚ ERES EL HOMBRE MENOS INDICADO PARA PREOCUPARTE DE ESA CUESTIÓN...
...¿NO ES VERDAD?
Y AHORA DAME LAS TENAZAS.
¿LAS TENAZAS DE SAN DUNSTAN? ¿YA NO LES TIENES MIEDO?
NO.
HISSSS-..

CON ESTA ESPADA CERCENARÉ LA MANO DE HELLBOY.
¡PUES HAZLO!

EN ESE MOMENTO...

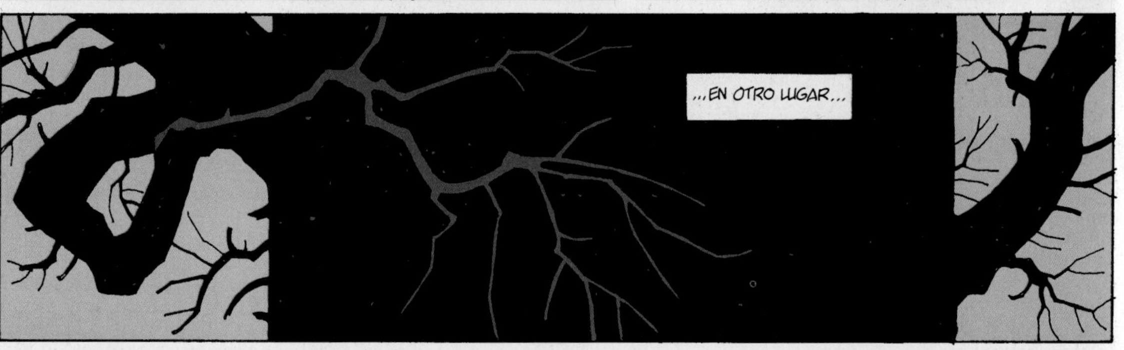
...EN OTRO LUGAR...

¿QUÉ ESTÁ PASANDO?
SIGUE MI VOZ.

¿DÓNDE ESTOY? NO VEO NADA.
ESTÁS EN EL SUELO DE LA MANSIÓN DEL CONDE GUARINO, A PUNTO DE QUE TE MATEN.
RECONOZCO TU VOZ. ¿QUIÉN...?
NO ESTAMOS AQUÍ PARA HABLAR DE MÍ, CHICO, SINO DE TI. ¿QUIÉN ERES TÚ?
¿CÓMO TE LLAMAS?

ANUNG UN RAMA...
ESO SÓLO SON PALABRAS. ¿PERO QUÉ SIGNIFICAN?
¡BAH!
NO LO SÉ.

ANUNG UN RAMA, DESTRUCTOR DEL MUNDO, LA GRAN BESTIA...
"Y SOBRE LA TESTA LLEVA UNA CORONA DE FUEGO..."
¿ERES TÚ ÉSE?
YO...
NO.
ASÍ PUES, NO ES ÉSE TU NOMBRE, ¿VERDAD?
¿VER-DAD?
DE VUELTA A LA TIERRA...
¿SE PUEDE SABER QUÉ TRAMAS CON ESA ESPADA?

MÁS VALE QUE DEJES ESO, NO VAYAS A HACERTE DAÑO...
¿QUÉ?
¡SE HA LEVANTADO!
¡DIJISTE QUE NO PODÍA MOVERSE!
¡CIERRA LA MALDITA BOCA!
¡HEY!

NO SÉ CÓMO HAS PODIDO LIBRARTE. TU NOMBRE TE TIENE TRABADO.
NO ES MI NOMBRE, SINO EL TUYO...

¿QUÉ TE PARECE ESTO?
¡GAR!

¡JA! AHORA LO ENTIENDO. NO ME HABÍA PERCATADO DE HASTA QUÉ PUNTO ME HABÍA CONVERTIDO EN ESO.
¡AHORA TIENES OTRA RAZÓN PARA TEMERME!
CALLA Y PELEA, IDIOTA.

¡AHH!

BOOM
SSSSS
SSSS
BOOM
PANG

CLING!

KRA-KOW

NO ERES UN MONO BUENO... ERES UN MONO MALO...
OOOH... OOOH...

¡OOOAHAH!

!

THUD!

BOOM

¡BROMHEAD!
¡AH!
¡YO NO HE HECHO NADA!

¡DÉJAME!
¿DÓNDE ESTÁ HELLBOY?
CRUNCH-
¡YO NO SÉ NADA DE NADA!

RIP!

ME HAS ROTO LA TÚNICA Y YO NO HE HECHO NADA...

¡VETE!
¡DÉJAME!

SLAM!

BLAM
BLAM
BLAM
BROMHEAD...

BLAM
¡ABRE LA PUERTA!

BLAM
SEÑOR ASTAROTH, GRAN PRÍNCIPE DEL AVERNO...
EAST
GRAM
MA
TON

"... SÁLVAME."
BLAM
BLAM
BLAM
DENTRO DE UN MOMENTO DERRIBARÉ LA PUERTA Y ENTONCES...
THUD!
?
HIJO DE...

GRACIAS, SEÑOR, SOY TU HUMILDE SERVIDOR Y...

OH NO...

?

IGOR BROMHEAD.

¡NO!
¡NO!
NYAAAAA

AAAAAAHHHHH

BOOM
¡ENCAJA ESTO!
¡Y ACABEMOS DE UNA VEZ!

ESTÁS ACABADO. SÓLO TE RESTA MORIR.
¿TÚ CREES?
ANTAÑO PUDISTE HABERTE CEÑIDO LA CORONA, PERO YA NO. LLEVAS DEMASIADO TIEMPO VIVIENDO CON ELLOS...
CASI TE HAS VUELTO HUMANO.

BUENO, SI SOY HUMANO, SOY MEJOR QUE TÚ.

SNAP

ASTAROTH, SÁLVAME...

¡TOMA, REGALO DE LA CASA!
¡AAGH!
SHUK!

SE ACABÓ.
KSHHH--

AH, ERES MUY ASTUTO...
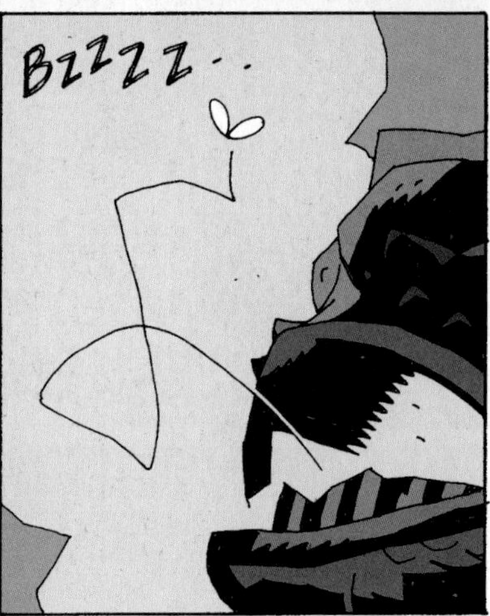
BZZZZ..

¡AHORA VEREMOS SI ERES IGUAL DE RÁPIDO!
BZZZZZ

BZZZZZZ

ZZZ-

¡JA!

SPOOSH

BZZ
BZZZ

BIEN HECHO.
¿QUÉ DEMONIOS HACES TÚ AQUÍ?
¿SABES QUIÉN SOY?
CREO TENER UNA VAGA IDEA.
BZZZ

SI ME CONOCES, YA SABES LO QUE QUIERO.

¡QUÉ DIABLOS!
¿PARA QUÉ LO QUIERO YO?
BZZZ

¡POBRE UALAC! ¡OTRO MILENIO ENCARCELADO!

UNO DEBE APRENDER A ACEPTAR SU LUGAR EN EL ORDEN DE LAS COSAS...

...¿NO TE PARECE?
CALLA.
YA TIENES A TU HOMBRE. AHORA, ESFÚMATE.
TODAVÍA HAY UN ASUNTO PENDIENTE...

...ÉSTE.

¡ESTOY HARTO DE ESAS TONTERÍAS DE LA BESTIA DEL APOCALIPSIS!

¡YO NO SOY ESA BESTIA, NO LO QUIERO SER, NI NUNCA LO SERÉ!
ASÍ QUE YA PUEDES METERTE ESO...
TE LA GUARDARÉ...

...EN EL INFIERNO.
EN PANDEMONIUM, EN LA CASA DE LA MOSCA, TIENES UN ASIENTO RESERVADO. ALLÍ TE ESTARÁ ESPERANDO LA CORONA. CUANDO LA QUIERAS...

...LLÁMAME.
ESPÉRAME SENTADO.

¡ABE!
¿QUÉ TE PASA? ¿ESTÁS MALHERI-DO?
POR LA MAÑANA TENDRÉ AGUJETAS...
YA ES LA MAÑANA.
AH.

¡CHICO, ESTÁS QUE DAS PENA!
SÍ, NO ME VENDRÍA MAL PASAR UNOS DÍAS EN UN HOSPITAL...
COMO QUIERAS. OYE, ¿NO HAS VISTO A BROMHEAD POR AQUÍ?
LE VI...

EL POBRE QUEDÓ TAPIADO EN UN MURO...
QUÉ RARO.
¿ALGÚN RASTRO DEL CONDE GUARINO?

FIN

El asesino de mi cerebro

Con
BOGAVANTE JOHNSON

CON PERMISO.
¿QUIÉN DIABLOS SON USTEDES?
NO SÉ QUIÉN LES HA DEJADO ENTRAR, PERO TIENEN DOS SEGUNDOS PARA LARGARSE CON VIENTO FRESCO SI NO QUIEREN QUE LES DÉ UNA PATADA EN...

SOMOS DETECTIVES...

¡DIABLOS!

¡PUEDEN IRSE YA, AGENTES!

YO ME ENCARGO DE ESTOS TÍOS.
DIC DIC

¿QUÉ...?
ES LA MISMA FIRMA IRRADIADA QUE ENCONTRAMOS ANOCHE EN EL PISO DEL DOCTOR WILEY.
DIC DIC DIC

¿WILEY?
NADIE PUEDE SABER LO QUE PASÓ ALLÍ.
YO SÍ.

BOGAVANTE ESTÁ AL TANTO DE TODO LO QUE PASA HOY DÍA.
EL DOCTOR WILEY MURIÓ APLASTADO POR SU PROPIO SOFÁ, EN SU CASA.
COMO EL DOCTOR SKINNER.

Y LA SEMANA PASADA OTROS DOS CIENTÍFICOS MURIERON DE MANERA PARECIDA, EN SUS CASAS, EN HABITACIONES CERRADAS.
APLASTADOS POR EL MOBILIARIO.

Y TODOS ELLOS ESTÁN AQUÍ, EN UNA FOTO.

TODOS TRABAJARON EN UN MOMENTO DADO PARA EL LABORATORIO ZINCO-DAVIS.

CUATRO HAN MUERTO.
¿QUIÉN ES EL QUINTO? ¿Y QUÉ LE PASA A SU PELO?

PUEDE QUE HAYA MUERTO O VAYA A MORIR EN BREVE...

...O PUEDE QUE SEA EL ASESINO.
TENGO QUE HACER UNA LLAMADA.

BROOKLYN. UNA LLAMADA DESPUÉS...

¿EH?

BRAM!

¡QUIETO AHÍ, AMIGO!
¡ENTRÉ-GUESE!
¡STANLEY KORN, LE ACUSO DE LOS ASESINATOS DE LOS DOCTORES SKINNER, WILEY, KENT Y GOWLAND!
¡CONFIESE!
¡HEY, NO SÉ DE QUÉ ME HABLAN!

YO SÍ.
DURANTE CINCO AÑOS ESTUVO A LA CABEZA DE UN EQUIPO PARA UNA INVESTIGACIÓN SECRETA EN ZINCO-DAVIS, PERO HACE UN MES LE DESPIDIERON...

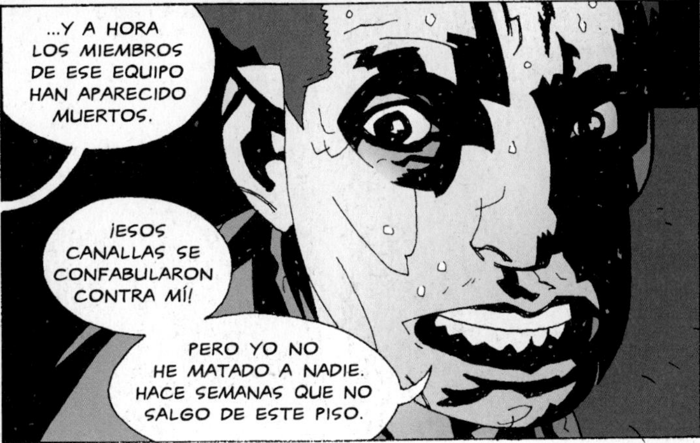
...Y A HORA LOS MIEMBROS DE ESE EQUIPO HAN APARECIDO MUERTOS.
¡ESOS CANALLAS SE CONFABULARON CONTRA MÍ!
PERO YO NO HE MATADO A NADIE. HACE SEMANAS QUE NO SALGO DE ESTE PISO.

SÍ, ESTO HUELE A CERRADO.
¿QUÉ ES ESTE CHISME?

EN ZINCO-DAVIS USTED LLEVÓ A CABO EXPERIMENTOS CEREBRALES, EXPERIMENTOS QUE PROSIGUIÓ AQUÍ, EN SU PISO...
...CON SU PROPIO CEREBRO.
¿Y QUÉ?

QUE SE HA CAMBIADO EL CEREBRO Y AHORA ENVÍA ONDAS CEREBRALES CAPACES DE MATAR.
NO TIENE PRUEBAS.

NO ME ASUSTAN.
DIC DIC DIC

NO SE ESFUERCE, KORN. ESTE CACHARRO NO SOLO DETECTA SUS ONDAS CEREBRALES, SINO QUE TAMBIÉN LAS NEUTRALIZA.
SE ACABÓ SU REINADO DEL TERROR.

ENTRÉGUESE AL DETECTIVE COOPER O TENDRÁ QUE VÉRSELAS CON LA PINZA DEL BOGAVANTE.
¡ESO ES!
ALTO SECRETO.

¿Y QUÉ, SI ES VERDAD? ¿QUÉ PUEDE HACERME LA LEY? ESTE CUERPO NO HA MATADO A NADIE...
¡...LO HA HECHO LA MENTE!
¿SE PUEDE ENCERRAR UNA MENTE? ¿PUEDEN ENCADENARSE LOS PENSAMIENTOS DE UN HOMBRE?
¿CUÁNTO TIEMPO CREEN QUE SU MAQUINITA PODRÁ RESISTIRME?

NO TENDRÁ QUE RESISTIR MUCHO.
TENDRÁ QUE VOLVER A ZINCO-DAVIS PARA SER... "EXAMINADO".

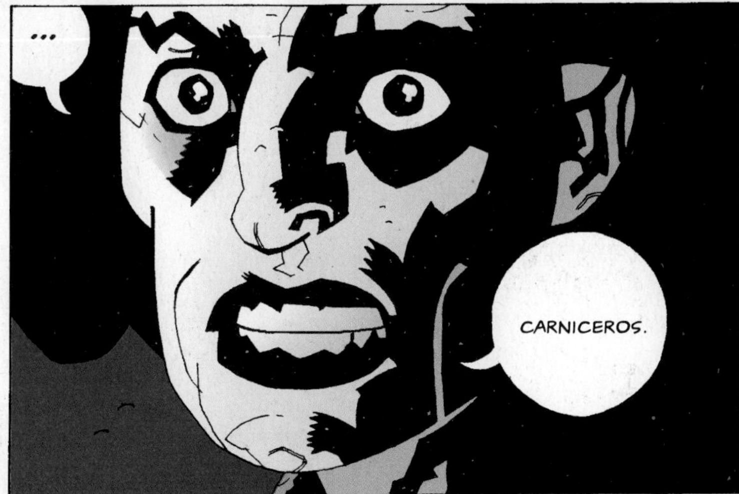
...
CARNICEROS.

¡ALTO!
¡CARNICEROS!
NO TOCARÁN MI MAGNÍFICO CEREBRO...

...ANTES DE ESO...

...LA
MUERTE...

BANG

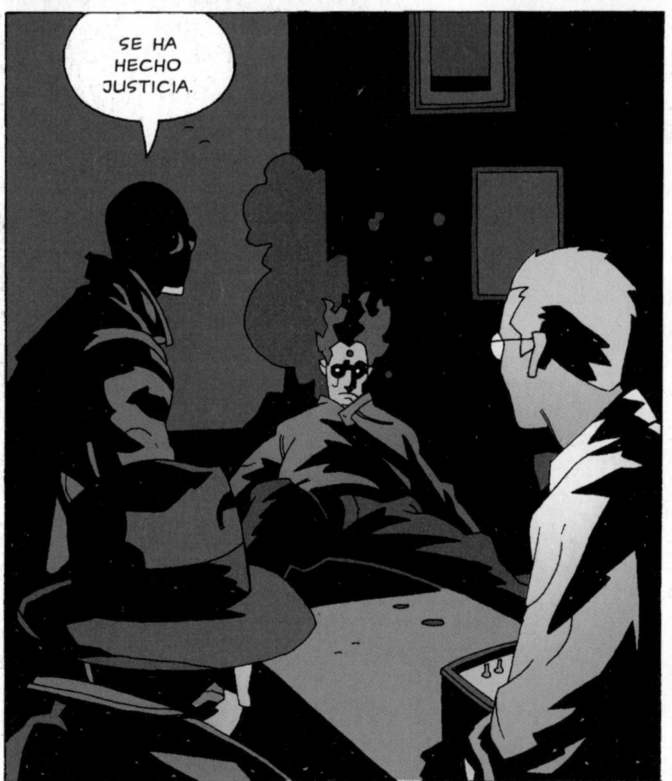
SE HA
HECHO
JUSTICIA.

HEY,
JEFE.
DIC DIC DIC DIC

SQUEEE

POIT

KRIK

KRAK
¡AHHH!

SOY INOCENTE...
NO FUI YO... FUE EL CEREBRO...
¡SANTO CIELO!
¡CUIDADO, JEFE!
¡LA MÉDULA ESPINAL!

SUBA LA INTENSIDAD... DE LA MÁQUINA...
¡RAYOS! ¡HAGA ALGO!
¡NO PUEDO!
LA INTENSIDAD ESTÁ AL MÁXIMO, ROZA UNA PELIGROSA SOBRECARGA...

¡GUH!
SI NO LA APAGO...

¡JEFE!
¡NO LA APAGUES!
RRRRR

¡DEPRISA, JEFE!
RRRRR

¡VA A EXPLOTAR!
WUP!
BLAM
HA FUNCIO-NADO.
CREO QUE ESTÁ... MUERTO.
¿QUÉ VOY A ESCRIBIR EN EL INFORME?
NO SÉ.
DESTRUYA LAS PRUEBAS Y NO SE LO DIGA A NADIE. Y ALÉGRESE DE NO SER YO...
...PORQUE HE VISTO COSAS PEORES EN MI VIDA.
FIN

Abe Sapien contra la ciencia

Mignola ✠ Smith

*VER DESPIERTA AL DEMONIO Y CASI UN COLOSO.

Y AHORA...
PIENSE EN LO MUCHO QUE NOS ENSEÑARÁ.

DIOS, ME MUERO DE GANAS DE ENTRAR AHÍ DENTRO.
¿PARA QUÉ, SEÑOR?
¿PARA QUÉ VA A SER? PARA LA DISECCIÓN.

DOCTOR RODDEL, POR FAVOR.
PUEDO DESCONECTAR LOS DISYUNTORES PARA ASÍ INCREMENTAR LA POTENCIA...

UNOS VOLTIOS MÁS Y...
NO SEA RIDÍCULO, COBB. ESO ESTÁ MUERTO.

AHORA TIENEN LA PALABRA LOS ESCALPELOS Y LOS MICROSCOPIOS.

"...ESCALPELOS Y MICROSCOPIOS."

2 DE MARZO DE 1979.

¿ALGUNA NOVEDAD, SEÑOR COBB?
NO, SEÑOR. NO RESPONDE A LA ESTIMULACIÓN DE ADRENALINA.
¿Y PERDER MÁS TIEMPO?

CREO QUE YA HEMOS PERDIDO SUFICIENTE TIEMPO.
USTED DIRÁ.

PREPARE AL SUJETO PARA LA DISECCIÓN.

TODAVÍA NO LE HEMOS APLICADO ESTIMULACIÓN ELÉCTRICA.
¿Y PERDER MÁS TIEMPO?
PERO...

ESTÁ BIEN. HAREMOS UNA PRUEBA.
Y LUEGO SERÁ EL TURNO DE LOS ESCALPELOS Y MICROSCOPIOS.

"SÓLO LA DISECCIÓN NOS ENSEÑARÁ ALGO NUEVO."

HOY.

DOCTOR RODDEL, ¿Y SI HACEMOS UNA PAUSA ANTES DE PROSEGUIR?

HMM.
NO ES MALA IDEA.

NO CREO QUE ESA CRIATURA TENGA INCONVENIENTE.
NO, SEÑOR.

ADEMÁS, ME FASTIDIA OPERAR CON EL ESTÓMAGO VACÍO.

BUENO, AMIGO, HELLBOY DICE QUE TE LLAMAS ROGER Y QUE ESTÁS BIEN.

SÉ QUE, DE NO SER POR TI, A ESTAS HORAS LIZ SHERMAN ESTARÍA MUERTA Y ENTERRADA...
POR LO CUAL TE ESTAMOS MUY AGRADECIDOS.

ASÍ QUE VEAMOS...
DESCONECTAR DISYUNTORES...

...INCREMENTAR LA POTENCIA...

ESPERO HABERLO HECHO BIEN, PORQUE ESTO NO ES LO MÍO.

KLIK

BZZZZZ
POK

HEY, ¿QUÉ LE HA PASADO A LA LUZ?

¿QUÉ DEMON...?
¿QUÉ HACE USTED AQUÍ?

DOCTOR RODDEL, ESPERE.
SE HA METIDO EN UN BUEN LÍO, AMIGO.

HA INTERFERIDO EN UN DELICADO EXPERIMENTO CIENTÍFICO.

KLINK
KLINK
THUD

CIELO SANTO.

FIN

NO DEL TODO

Portada original del nº1 USA *(por Mike Mignola)*

MIKE MIGNOLA ENTREVISTA

OS OFRECEMOS UNOS FRAGMENTOS DE LA ENTREVISTA QUE MIKE MIGNOLA CONCEDIÓ CON MOTIVO DEL LANZAMIENTO DE *LA CAJA DEL MAL* EN LOS ESTADOS UNIDOS EL PASADO AÑO. PODÉIS ENCONTRAR LA CHARLA COMPLETA EN LA WEB DE DARK HORSE (WWW.DHORSE.COM).

¿QUÉ HAS QUERIDO EXPLICAR CON *HELLBOY: LA CAJA DEL MAL*?
Es una historia bastante rara, porque comencé pensando que iba a resolver toda la dicotomía de Hellboy/Bestia del Apocalipsis, pero en cuanto empecé a profundizar en el tema, me di cuenta de que no me apetecía nada todo aquello. Así que utilicé aquello como introducción y declaración de intenciones, aunque al final del cómic pretendo dar a entender que cierro este aspecto de Hellboy de una vez por todas.

EN OCASIONES PARECE QUE LAS HISTORIAS DE HELLBOY NO SON MÁS QUE COMBATES DE NUESTRO HÉROE CONTRA ENORMES MONSTRUOSIDADES EN LAS QUE NO PARAN DE SALIR COSAS DEL SUELO, TENTÁCULOS, DEMONIOS... ÉSTA PARECE UN POCO MÁS MUNDANA, EN EL SENTIDO MÁS POSITIVO DEL TÉRMINO, COMO SI UTILIZARAS UN ENTORNO MÁS DOMÉSTICO PARA COMUNICAR EL HORROR AL LECTOR.
Sí, en este caso no sale ningún monstruo mastodóntico, aunque siempre intento tener en cuenta si ya he utilizado un recurso anteriormente. **La caja del mal** es algo completamente diferente a lo que había hecho hasta ahora, sea eso bueno o malo. Me ha servido como mecanismo para decir "vale, voy a meter a este tipo en esta habitación, luego va a ir de acá para allá, va a pasar esto y lo otro..."

A PESAR DE QUE AL FINAL CONOCEMOS A ASTAROTH, HELLBOY NUNCA HA ESTADO EN EL INFIERNO, ¿VERDAD?
No después de que naciera. Pero tengo perfectamente definido su origen y de dónde ha salido, y había pensado explicarlo todo en un cómic a finales del pasado año, pero no lo voy a hacer. Quiero revelar el origen de Hellboy en una historia de flashbacks.

¿HAS LLEGADO A DIBUJAR ALGUNA VEZ AL MISMÍSIMO DEMONIO EN UN CÓMIC DE HELLBOY?
El problema a ese respecto es que, según la mitología en la que me baso, no existe nadie que vaya por ahí diciendo *"Hola, soy el Demonio"*. Hay muchos tipos diferentes, y Astaroth es uno de los más importantes. Aunque pensándolo mejor, probablemente sí que haya un Demonio...

Y ÉSA ES UNA DE LAS COSAS QUE QUIERES ESCONDER HASTA EL FINAL. ÚLTIMAMENTE, HAS COMENZADO A INCORPORAR MUCHO FOLKLORE A TU TRABAJO. ¿ES ALGO QUE TE GUSTE ESPECIALMENTE?
Siempre lo he querido hacer, y desde que comencé a leer estos libros, supe en mi interior que quería incorporarlos, de alguna forma, a las historias. La imaginería es tan peculiar... imagínate sólo al bueno de Dunstan, con las tenazas, arrancándole la lengua al demonio... No sé, siempre me han atraído este tipo de cosas. Y algunas de las mejores historias que he hecho de Hellboy han sido adaptaciones casi calcadas de este tipo de cuentos populares. De hecho, pronto tendré que empezar a leer más cuentos populares, porque ya he utilizado casi todas las historias que me habían gustado hasta el extremo de querer incorporarlas a mi trabajo, aunque lo próximo que voy a hacer no tendrá absolutamente nada que ver con todo eso.

¿CUÁL SERÁ LA PRÓXIMA MINISERIE DE HELLBOY?
Llevará por título **The Conqueror Worm** (**"El gusano conquistador"**). **La caja del mal** sirve un poco de introducción a esta serie limitada, porque en las historias cortas que se incluyen aparecen Bogavante Johnson y Roger el Homúnculo, que vuelve a la vida. Se trata de una especie de introducción a cada uno de estos personajes.

PARA FINALIZAR, CUÉNTANOS ALGO SOBRE EL LIBRO DE HISTORIAS CORTAS, *HELLBOY: ODD JOBS*.
La mayoría de historias cortas de esta antología tienen lugar, cronológicamente, entre el nacimiento de Hellboy y las aventuras que estoy narrando en la actualidad. Una de ellas ocurre casi al principio, cuando Hellboy todavía vivía en la Base de las Fuerzas Aéreas de Nuevo México. En su mayor parte, son historias sin ninguna conexión entre sí. Simplemente tienen lugar cuando está viajando por Europa, viviendo aventuras, y en el fondo es con los relatos de **Hellboy** que más disfruto. En ocasiones me siento un poco atado cuando tengo que tener en cuenta todo ese rollo de la Agencia de Investigación y Defensa Paranormal, y todos esos personajes, y misiones que me veo obligado a incluir. Disfruto haciéndolo, pero las mejores historias son aquellas en las que Hellboy simplemente se tropieza con un misterio.